在第三届中国国际进口博览会开幕式上的主旨演讲

（2020年11月4日）

习　近　平

人　民　出　版　社

在第三届中国国际进口博览会开幕式上的主旨演讲

（2020年11月4日，北京）

中华人民共和国主席　习近平

尊敬的各位国家元首、政府首脑，

尊敬的各位国际组织负责人，

尊敬的各代表团团长，

各位来宾，

女士们，先生们，朋友们：

在各方共同努力下，第三届中国国际进口博览会开幕了！首先，我代表中国政府和中国人民，并以我个人的名义，向各位嘉宾，表示热烈的欢迎！对各位新老朋友，表示诚挚的问候！

本届进博会是在特殊时期举办的。突如其来的新冠肺炎疫情给各国带来严重冲击，也给世界经济带来重创。中国在确保防疫安全前提下如期举办这一全球贸易盛会，体现了中国同世界分享市场机遇、推动世界经济复苏的真诚愿望。

经过3年发展，进博会让展品变商品、让展商变投资商，交流创意和理念，联通中国和世界，成为国际采购、投资促进、人文交流、开放合作的四大平台，成为全球共享的国际公共产品。

本届进博会，各国企业参展踊跃，展览面积又扩大了近3万平方米。仅在新设立的公共卫生防疫专区，就有很多世界500强和行业龙头企业参与。这次采取线上线下结合方式，各方面都作了周密安排，相信一定能够办成一届安全、精彩、富有成效的博览会。

女士们、先生们、朋友们！

尽管受到疫情影响，今年中国扩大开放的步伐仍在加快。我在第二届中国国际进口博览会上宣布的扩大对外开放系列举措已经全面落实。中国持续扩大进口，一年来中国商品和服务进口额增速明显高于全球平均水平。全国外商投资准入负面清单由 40 条减到 33 条，自由贸易试验区由 18 个增至 21 个，海南自由贸易港建设总体方案、深圳进一步扩大改革开放的实施方案发布实施，商签高标准自由贸易协定、培育进口贸易促进创新示范区、保护知识产权、高质量共建“一带一路”等举措都取得了积极进展。

女士们、先生们、朋友们！

新冠肺炎疫情大流行使世界经济不稳定不确定因素增多。从历史上看，不管遇到什么风险、什么灾难、什么逆流，人类社会总是要前进的，而且一定能够继续前进。

各国走向开放、走向合作的大势没有改变。我们要携起手来,共同应对风险挑战,共同加强合作沟通,共同扩大对外开放。

——我们要致力于推进合作共赢的共同开放。这次疫情告诫我们,各国是休戚与共的命运共同体,重大危机面前没有谁能够独善其身,团结合作是应对挑战的必然选择。我们要坚持合作共赢理念,信任而不是猜忌,携手而不是挥拳,协商而不是谩骂,以各国共同利益为重,推动经济全球化朝着更加开放、包容、普惠、平衡、共赢的方向发展。

——我们要致力于推进合作共担的共同开放。历史和实践证明,风险挑战面前,各国应该同舟共济、各尽其责,而不应该唯我独尊、损人不利己。大国要率先示范,主要经济体要以身作则,发展中国家要积极作为,通过共同开放、共担责任,推动世界共同发展。

——我们要致力于推进合作共治的共同

开放。面对经济全球化带来的挑战，不应该任由单边主义、保护主义破坏国际秩序和国际规则，而要以建设性姿态改革全球经济治理体系，更好趋利避害。要坚持共商共建共享的全球治理观，维护以世界贸易组织为基石的多边贸易体制，完善全球经济治理规则，推动建设开放型世界经济。

女士们、先生们、朋友们！

刚刚闭幕的中共十九届五中全会，对中国"十四五"时期发展作出全面规划。中国决胜全面建成小康社会、决战脱贫攻坚的目标即将实现，从明年起将开启全面建设社会主义现代化国家新征程，中国将进入一个新发展阶段。适应新形势新要求，我们提出构建以国内大循环为主体、国内国际双循环相互促进的新发展格局。这决不是封闭的国内循环，而是更加开放的国内国际双循环，不仅是中国自身发展需要，而且将更好造福各国人民。

中国有14亿人口，中等收入群体超过4亿，是全球最具潜力的大市场。预计未来10年累计商品进口额有望超过22万亿美元。中国制造已经成为全球产业链供应链的重要组成部分，作出了积极贡献。中国广阔的内需市场将继续激发源源不断的创新潜能。

女士们、先生们、朋友们！

新冠疫情对各国都是一场大考。中国人民经过艰苦卓绝努力，疫情防控取得重大战略成果。中国经济呈现稳定转好态势，前三季度实现了正增长，其中对外贸易额增长0.7%，实际使用外资增长5.2%，为推动世界经济复苏发挥了积极作用。为支持各国抗击疫情，中国人民毫无保留同各方分享经验，尽己所能为国际社会提供援助，截至10月20日，已向150个国家和7个国际组织提供抗疫援助，出口口罩1790多亿只、防护服17.3亿件、检测试剂盒5.43亿人份，展现了中国担当。

下一步,中国将秉持开放、合作、团结、共赢的信念,坚定不移全面扩大开放,将更有效率地实现内外市场联通、要素资源共享,让中国市场成为世界的市场、共享的市场、大家的市场,为国际社会注入更多正能量。

第一,建设开放新高地。过去7年来,中国各自由贸易试验区锐意进取、大胆探索,取得显著成效。海南自由贸易港建设顺利开局。中国将有效发挥自由贸易试验区、自由贸易港引领作用,出台跨境服务贸易负面清单,在数字经济、互联网等领域持续扩大开放,深入开展贸易和投资自由化便利化改革创新,推动建设更高水平开放型经济新体制。

第二,促进外贸创新发展。中国将继续通过进博会等开放平台,支持各国企业拓展中国商机。中国将挖掘外贸增长潜力,为推动国际贸易增长、世界经济发展作出积极贡献。中国将推动跨境电商等新业态新模式加快发展,培育外贸新动能。中国将压缩《中国禁止进口限制进口技术目录》，为技术要素跨境自由流动创造良好环境。

第三，持续优化营商环境。中国在疫情后出台的各项纾困惠企政策，对在中国境内注册的企业一视同仁。今年，中国实施外商投资法和相关配套法规，进一步缩减了外商投资准入负面清单。中国将继续完善公开透明的涉外法律体系，强化知识产权保护，维护外资企业合法权益，以优质服务营造更好环境。

第四，深化双边、多边、区域合作。中国愿同更多国家商签高标准自由贸易协定，推动尽快签署区域全面经济伙伴关系协定，加快中欧投资协定、中日韩等自由贸易协定谈判进程，加强同世界高标准自贸区交流互鉴。中国将积极参与世界贸易组织改革，积极参与联合国、二十国集团、亚太经合组织、金砖国家等机制合作。中国将同相关国家高质量共建"一带一路"，推动构建人类命运共同体。

女士们、先生们、朋友们！

中国人常说，“不到长城非好汉”。当前，世界经济发展面临严峻挑战，我们要坚定信心、增强勇气、共克时艰。中国愿同各国一道，在开放中创造机遇，在合作中破解难题，携手创造人类更加美好的明天！

谢谢大家。

图书在版编目(CIP)数据

在第三届中国国际进口博览会开幕式上的主旨演讲/习近平著.— 北京:人民出版社,2020.11

ISBN 978-7-01-022628-6

Ⅰ.①在… Ⅱ.①习… Ⅲ.①习近平-讲话-学习参考资料②对外开放政策-中国 Ⅳ.①D2-0②F125.1

中国版本图书馆 CIP 数据核字(2020)第 216087 号

(RMC-ZJDXI-100-20201106)

在第三届中国国际进口博览会开幕式上的主旨演讲

ZAI DISANJIE ZHONGGUO GUOJI JINKOU BOLANHUI
KAIMUSHI SHANG DE ZHUZHI YANJIANG

人民出版社 出版发行
(100706 北京市东城区隆福寺街 99 号)

北京新华印刷有限公司印刷 新华书店经销

2020 年 11 月第 1 版 2020 年 11 月北京第 1 次印刷
开本:880 毫米×1230 毫米 1/32 印张:0.5
字数:3 千字

ISBN 978-7-01-022628-6 定价:2.00 元

邮购地址 100706 北京市东城区隆福寺街 99 号
人民东方图书销售中心 电话 (010)65250042 65289539